CE PEU DE BRUITS

PHILIPPE JACCOTTET

CE PEU DE BRUITS

GALLIMARD

Il a été tiré de l'édition originale de cet ouvrage quarante exemplaires sur vélin pur fil des papeteries Malmenayde numérotés de 1 *à* 40.

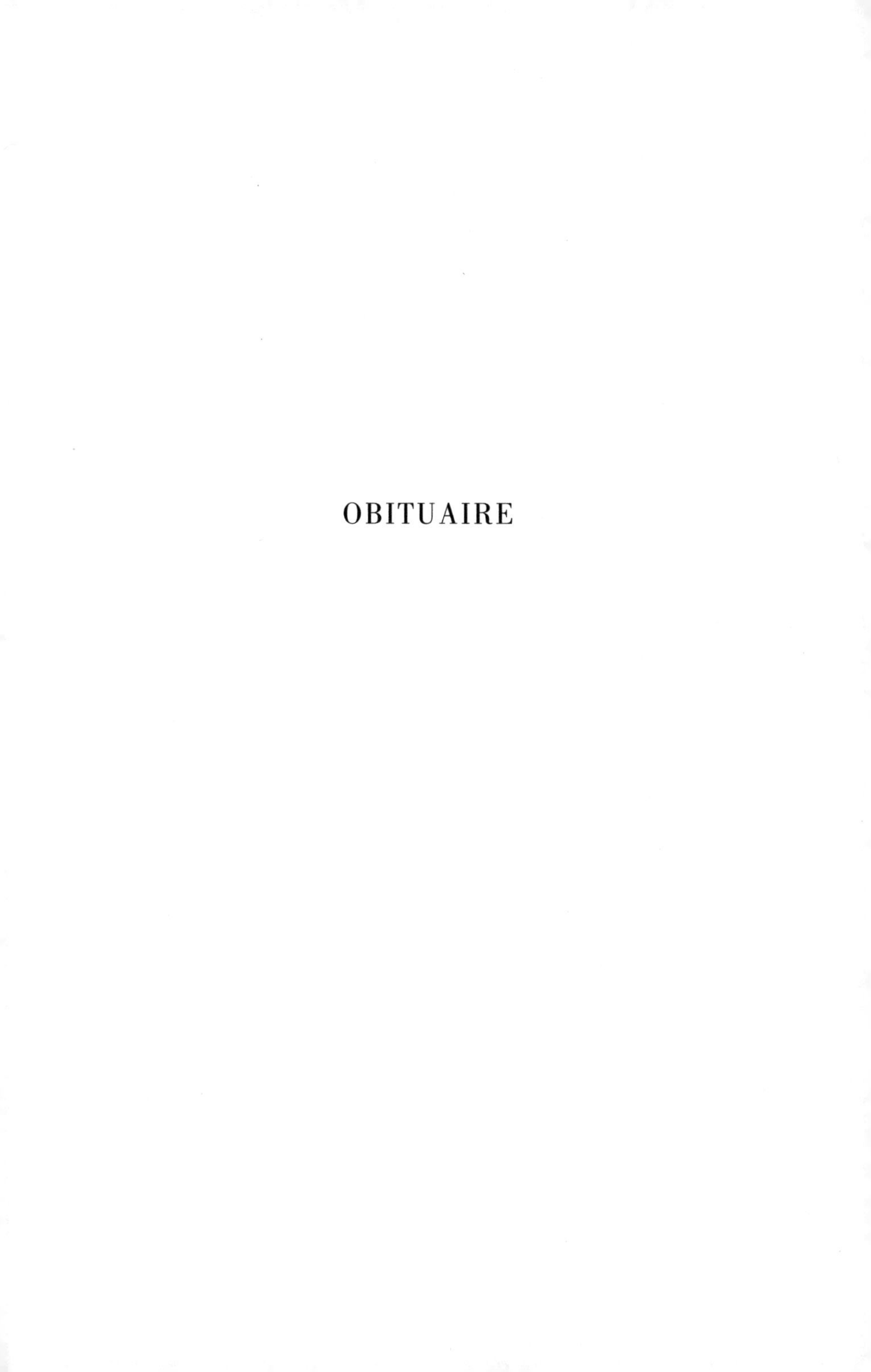

OBITUAIRE

1999

21 mai	Jean Eicher dit « Loiseau »	69 ans
13 juillet	André Rodari	78 ans
26 octobre	Christiane Jaccottet-Loew	62 ans

2000

1er mars	Wayland Dobson	81 ans
30 décembre	Louis-René des Forêts	82 ans

2001

9 janvier	Pierre Leyris	93 ans
29 mars	Michel Rossier	83 ans
19 avril	André du Bouchet	77 ans
13 juillet	Bernard Simeone	44 ans
17 novembre	Louise « Loukie » Rossier	85 ans

Jean Eicher, dit « Jeannot Loiseau », et Wayland Dobson vivaient ensemble depuis près de cinquante ans. De Jean Eicher, de sa flambée d'inspiration adolescente sous forme de dessins et de gravures d'un aplomb surprenant, j'ai parlé, avec d'autres, dans *Jean Eicher Loiseau, L'œuvre retrouvé*, petit livre paru en 1986 à l'occasion d'une grande exposition lausannoise ; ainsi que dans un commentaire à son *Voyage à Trigance*, un court récit singulier, gauche et drolatique, retrouvé après sa mort. Ici, je ne veux rappeler que leur triste fin de vie à tous deux : l'aîné atteint d'une maladie dégénérative du type Parkinson et de mois en mois plus absent, plus misérable ; le cadet succombant en quelques semaines à un cancer du pancréas. Les *Notes du ravin* qui suivent sont tout enténébrées par l'épreuve qu'aura été pour nous, leurs amis de toujours, de voir ces êtres qui avaient tant aimé toutes les sortes de fêtes finir ainsi ; et l'une des deux maisons les plus amicalement ouvertes que nous ayons connues aussi pitoyablement se fermer.

Contraint, parce que j'étais géographiquement leur ami le plus proche, de porter sur des épaules peu faites pour cela une petite partie de leur fardeau, je crois que, si les années qui ont suivi ont été pour moi, en matière de poésie, si arides, ce fut pour une large part de ce fait.

*

André Rodari était mon beau-frère. Si différents que nous ayons été l'un de l'autre à presque tous égards, j'avais pour lui beaucoup d'affection — qu'il me rendait bien, sans doute en partie pour l'estime que je lui marquais dans une famille plus bourgeoise que n'avait été la sienne et où certains, qui ne le valaient pas toujours, la lui marchandaient, du seul fait qu'il n'avait pu passer comme eux par l'université. Depuis je ne sais plus combien de temps, il faisait, avec ma sœur, de fréquents séjours à Grignan dans une maison qu'ils louaient à l'année, pour le plus grand bien de leur couple et, bientôt aussi, le bonheur de leurs enfants.

Je me souviens ainsi de ce jour d'été où, lui trouvant très mauvaise mine, nous l'avions tancé pour l'imprudence qui nous semblait la sienne d'avoir fait le voyage ; et qu'il l'avait mal pris. Puis, comme nous étions montés à l'étage pour suivre une rencontre de tennis — sport auquel il préférait de loin le football ou le cyclisme — dans une pièce à laquelle on accédait par un étroit escalier de bois et une trappe, las sans doute de bouder, il en avait monté quelques marches, de sorte que sa tête était apparue soudain au niveau du plancher, sans qu'il prononçât un mot. Aussitôt, j'avais pensé, bizarrement, à l'échafaud de la guillotine ; et surtout, que son visage ainsi émergé portait à l'évidence le masque d'une mort prochaine. Pensée qui ne devait que trop rapidement s'avérer.

*

Christiane Jaccottet-Loew a été une merveilleuse musicienne, l'une des reines de cet instrument riche et difficile que nos amis d'Aix, si présents justement dans ces pages-ci, nous avaient fait redécouvrir, et d'abord grâce à elle : le clavecin. Nous aimions la flamme qui brûlait dans ses yeux sombres et qui animait son jeu autant que sa vie. Si j'ai intitulé mon premier recueil de chroniques de poésie *L'Entretien des Muses*, c'est parce que je n'avais pu oublier avec quel subtil lyrisme elle avait joué cette pièce de Rameau dans la collégiale de Grignan, je ne sais plus à quelle date ; mais nous étions jeunes encore, et elle bien loin de pressentir avec quelle sournoise cruauté la maladie allait s'en prendre à sa fougue, à son sourire, et quelle énergie, quel courage, quelle patience il lui faudrait, une longue vingtaine d'années durant, pour la combattre et, d'une certaine manière au moins, dans la musique, la vaincre.

*

Louis-René des Forêts n'a jamais été de mes proches. Mais j'admirais, j'aimais sa réserve, sa gravité, sa profonde noblesse — un peu moins les détours infinis de ses scrupules, qu'il partageait avec Michel Leiris, autrement ; et je comptais les *Poèmes de Samuel Wood* et *Ostinato* au nombre des plus beaux livres français de la seconde moitié du siècle. Le plus émouvant pour moi, quant à sa mort, c'est qu'elle nous ait été annoncée le dernier jour de l'an 2000, à Valréas, juste au-dessous de l'hôtel de Simiane, par André du Bouchet qu'accompagnait Anne de Staël — sans que je me doute alors le moins du monde que sa mort à lui n'allait pas beaucoup tarder. (De cela, le seul petit livre que j'aie pu écrire dans ces années difficiles — en dehors des *Notes du ravin* — rend compte aussi bien que je l'ai pu.)

*

Parce que Pierre Leyris, tout au début de l'année suivante, est mort âgé de quatre-vingt-treize ans en ayant gardé jusqu'au bout assez de vitalité et d'énergie spirituelle pour traduire encore — quelques sonnets de Shakespeare je crois — et même rédiger des espèces de Mémoires fragmentaires, le chagrin de perdre un ami aussi cher a été moins lourd, et sans amertume. J'ai dû rencontrer Pierre Leyris à peine avais-je débarqué à Paris, en 1957 peut-être ; et c'est à lui, sans aucun doute, à son exigence spirituelle, à la rigueur et à la subtilité de son intelligence, à sa profonde honnêteté aussi, que je dois d'avoir commencé alors à parler d'une voix plus juste.

*

Pour Bernard Simeone, traducteur exigeant et acharné lui aussi, et auteur de ce très beau récit qu'est *Cavatine*, le deuil fut plus difficile à porter — si présent, si proche il était encore, si jeune, si riche de projets, quand la maladie l'a pris dans son piège barbelé.

Ainsi venaient s'ajouter les unes aux autres ces pertes, comme quand, dans une histoire de guerre, l'assiégé voit tomber peu à peu autour de lui presque les dernières barrières qui l'aidaient encore à persévérer dans un plus ou moins légitime espoir.

*

Au cours de cette même funeste année 2001, Michel et Louise, dite « Loukie », Rossier sont morts à sept mois de distance l'un de l'autre. Eux disparus, ce fut la seconde « maison ouverte » qui eut fermé définitivement ses portes pour nous. L'une, au pied de la Tour de César, au-dessus d'Aix, puis dans le vallon de la Gaffe tout proche de Grignan, avait été celle des fêtes bariolées, quelquefois débridées, et des rencontres les plus cocasses, en marge d'une bohème riche aux mœurs rien moins que « convenables » ; l'autre, une grande demeure bourgeoise, cossue, sur les bords du Léman, demeure beaucoup plus confortable, plus calme, plus conventionnelle aussi, plus « décente » si l'on veut ; mais, dans l'amitié, dans le bonheur de recevoir, non moins généreuse et non moins chaleureuse.

Les petites notes de mon *Libretto* que j'ai dédiées à ces amis de Vevey, je crois que, dans leur légèreté même, elles gardent assez fidèle le reflet de ces bonheurs que furent, année après année, nos voyages communs, et plus que tout, précisément, ceux qui nous conduisirent dans presque toutes les régions de l'Italie, au printemps : l'émerveillement de la découverte, le naturel absolu des échanges, leur gaieté souvent, leur émotion quelquefois, les plaisirs de la gourmandise avivés par une ébriété légère, et qui venait de plus loin que le vin. Nous leur devions tout cela ; et les voir l'un après l'autre, puis l'un et l'autre, au cours des derniers voyages, de plus en plus vulnérables, fatigables, déçus que la lumière d'autrefois ne fût plus de leur côté, ç'avait été pour nous d'une grande mélancolie : la dernière fois à Rome, la dernière fois en Toscane, la dernière fois en Sicile… Jusqu'à ce qu'en ce triste début de millénaire la maison du quai Ansermet se refermât définitivement dans un climat inconsolé.

*

Toutes ces morts, si naturelles qu'elles aient été presque toutes quand on atteint ces zones périlleuses : drôle d'entrée, pas drôle du tout, dans le nouveau siècle, le nouveau millénaire ! Et si j'avais voulu noter aussi, à peine plus loin de nous dans l'espace, tous les signes d'un ennuagement du ciel, tout ce qui pouvait faire redouter un abêtissement, un avilissement progressif de l'espèce humaine, il y aurait eu là de quoi largement réduire au silence un

« homme de peu de foi » — hors ces bribes ultimes sauvées dans un ultime effort du désastre, comme par quelqu'un qui, se sentant glisser sur une pente de plus en plus scabreuse, se raccroche aux dernières maigres plantes assez tenaces pour le retenir encore quelques instants au-dessus du précipice.

NOTES DU RAVIN

À cinq heures et demie du soir, le jour dure. On voit au-dessus du mont Ventoux la couronne de pétales de rose de ceux que l'Égypte nommait « les justifiés d'Osiris », si belle dans les cheveux ou entre les doigts des morts dans les portraits du Fayoum. On comprend que c'est cette couleur rose, quelquefois aussi posée sur une robe, une étoffe légère, qui, de ces portraits, sans parler des regards, vous émeut le plus. Cette touche de rose ; cet épi rose dans la main des jeunes morts.

Le soir d'hiver dépose ces couronnes dans les arbres ou sur les nuages. Avant l'embarquement pour la nuit. Ce qu'il y aurait de meilleur à emporter là-bas, de toute une vie ?

*

Paraît la Lance, sous la première neige de l'année : quelques coulées de neige très blanche, dans des ravins, le sommet pris dans la grisaille des nuages, et une poussière de neige, plus bas, dans les forêts. La sensation d'un froid sans âpreté.

Du gris-vert, du gris-jaune, du blanc.

Une neige à peine neige, éparpillée sur ce mur au fond du paysage, une invite à monter marcher là-bas, comme vers une lointaine enfance. À monter se rafraîchir dans les plis de ces ravins. À se frotter les joues de ces tresses fraîches.

Sur tout ce fond, une drôle de couleur, jaune pâle, comme émanée d'une lampe faible allumée en plein jour.

Une lampe invisible à la lumière plutôt faible, un faible jaune colore ces lieux qu'avive un éparpillement, un poudroiement, un saupoudrage léger de neige.

D'avoir marché sous ces arbres, on aurait ses manches trempées ; mais nullement de ces larmes des poètes d'Extrême-Orient qui pleurent une absence ou une trahison.

*

La montagne enneigée rosie par le soleil couchant : un feu qui serait en bas de cendre grise et incandescent à la cime : flamme devenue candide à la rencontre du ciel.

Cela ressemble aussi à la lumière de la lune.

Montagne légère qui se change imperceptiblement en ange, ou en cygne.

Cela même, la lampe même qu'il ne faudrait jamais laisser s'éteindre, en arrière de soi. « Lumière perpétuelle » pour le repos des morts, au moins en nous.

*

Un peu avant huit heures, la couleur orange, enflammée juste au-dessus de l'horizon, du ciel qui s'éclaircit et où, plus haut, luit le mince éperon de la lune. Il ne fait pas très froid.

Cela aide le corps à se démêler du sommeil, et l'esprit à se déplier.

*

Les maîtres japonais du haïku, qui saisissent au passage une lumière dans l'impermanence et qui donnent au plus frêle le plus de prix et de pouvoir, ne sont pas des mystiques ; on ne songerait pas à dire d'eux qu'ils « brûlent », ni même qu'ils gravissent des cimes. Ils me rappellent plutôt ces domestiques, dans *L'Homme de la scierie* de Dhôtel, qui, en nettoyant l'argenterie ou les verres de leurs maîtres, y voient soudain se refléter l'éclat pur d'un jardin.

*

Feu qu'on allume au-dessous du miroir froid du ciel : comme cette buée qui assure qu'on est encore vivant.

*

Ce paysage de montagne où, du milieu d'une crête sombre, s'élevait un pic aussi lumineux que s'il eût été une pointe de lance taillée dans le diamant : lumière surnaturelle comme on n'en voit qu'en rêve ; et c'en était un.

*

En passant devant l'une des dernières fermes restées des fermes, ici tout près : le petit verger à l'abandon, les murs délabrés en bordure du chemin, le grand noyer au-dessus de la Chalerne — pourquoi tout cela me semble-t-il si « vrai », c'est-à-dire ni aménagé, ni orné, ni truqué ? Ces pierres usées, tachées, prêtes à retourner au sol d'où on les a extraites, ces très vieux arbres cassants, hirsutes, qui ne produiront plus que des fruits acerbes — et l'eau, sans jamais aucun âge.

Jour de janvier, ouvre un peu plus grands les yeux,
fais durer ton regard encore un peu
et que le rose colore tes joues
ainsi qu'à l'amoureuse.

Ouvre ta porte un peu plus grande, jour,
afin que nous puissions au moins rêver que nous passons.

Jour, prends pitié.

Une buse monte en lentes spirales dans la lumière dure de l'avant-printemps. On taille le grenadier, dont les épines acérées vous éraflent les mains. Contre toutes les espèces d'absurdités qui, elles, vous feraient vous effondrer sur place.

*

« Rien n'est prêt… » : mots sauvés d'un vague sommeil, mais dont je sais qu'ils voulaient dire qu'on n'avait pas pensé à préparer ses bagages, qu'on continuait à avancer sans regarder devant soi, qu'on se payait de mots — comme ceux-ci.

Mais avec ça, quoi préparer ? Ou bien on va commencer à rôder, à trébucher dans l'irréel avec, de loin en loin, le secours d'incertains repères sauvés par la mémoire, et ce ne sera plus de toute façon qu'une histoire d'ombre entre des ombres ; ou bien, si l'on voit assez clair…

Je me suis interrompu sur ces mots, comme le cheval qui bronche devant l'obstacle, et recule. Puis, à tâtons, en plein désarroi, j'ai pensé de nouveau que, probablement, la plus haute musique, la plus fervente prière, arrivés là, dans la lumière glacée de la condamnation sans appel, nous rejoindraient moins sûrement que le mouvement presque silencieux du cœur, de ce qu'on appelle le cœur ; que ce serait la meilleure, humble et presque invisible, la presque seule obole ; même si elle ne nous ferait plus passer nulle part, puisque là cesserait toute direction.

*

Daumal : « ... *la poésie blanche va à contre-pente, elle remonte le courant, comme la truite, pour aller engendrer à la source vive*... »

*

En longeant la Chalerne : de petites cascades sous les arbres, dans les rochers ; un peu partout des violettes, des envols d'oiseaux ; et, au soleil de mars, une tendre chaleur.

Plus loin, l'eau brille presque sans couler, parce que la pente est devenue faible ; et les premières feuilles commencent à trembler au-dessus du ruisseau. L'eau tranquille brille par endroits : étincelles humides et fraîches, petites croix scintillantes qui, plus nombreuses, éblouiraient.

Vieillard au corps amaigri, à l'esprit troublé par la maladie et le chagrin, esquissant, rarement, une ombre de sourire, retrouvant des ombres de souvenirs, ombre lui-même, assis chez lui le dos tourné à la porte ouverte, au monde, à la lumière du printemps ; à la dernière neige de l'année.

À côté de lui, son compagnon de toute une vie, son cadet, jeté bas par le cancer, assommé : un accidenté en pleine rue ou au bord d'une route ; un boxeur « sonné », frappé à la tempe, qui noircit.

Toute la misère humaine, quand on la touche du doigt, c'est comme une bête qui inspire une répulsion qu'il faut que le cœur endure et surmonte, s'il le peut.

*

Guerre : longues files de fuyards sous la neige ; vieillards incapables de marcher traînés à même le sol sur de grands sacs en plastique par des parents à peine moins vieux et moins harassés, femmes qui tremblent de froid.

Familles terrées dans des caves, des égouts. Même plus de larmes pour leurs yeux desséchés.

*

Hommes perdus.

L'un est dans sa maison et ne sait plus qu'il y est, la confond avec une autre où il a peut-être vécu autrefois, peut-être pas, ne va plus qu'à tâtons entre les choses présentes, si peu présentes, et celles qui n'existent plus que dans sa tête fatiguée.

L'autre n'a plus qu'un rêve : revenir chez lui, retrouver sa maison ; mais, la retrouverait-il que ce ne serait plus, quoi qu'il en ait, sa maison ; irrémédiablement.

Parce qu'il est sur le chemin qui éloigne de toutes les maisons.

*

La pluie froide comme du fer.

*

La dernière sonate pour piano de Schubert m'étant revenue hier soir, par surprise, une fois de plus, je me suis dit simplement : « Voilà. » Voilà ce qui tient inexplicablement debout, contre les pires tempêtes, contre l'aspiration du vide ; voilà ce qui mérite, définitivement, d'être aimé : la tendre colonne de feu qui vous conduit, même dans le désert qui semble n'avoir ni limites, ni fin.

Fragments nocturnes :

« Ici, maintenant :

usé, voûté, noué,
le corps noué, le cœur sourd —

l'agneau de Dieu, lustral comme est la lune… »

*

« Le peigne qui striait la chevelure dénouée
comme les cailloux l'eau des torrents —

le même que je reprendrai,
si jamais l'aube revient,
pour tisser encore des mots… »

À cinq heures et demie du matin, sorti dans la brume d'avant le jour, j'entends le rossignol, le *ruy-señor* espagnol, l'oiseau dont le chant est un ruisseau.

C'est comme si, après quelques pas hésitants, la voix montait en douce vrille d'eau dans l'ouïe et dans le ciel.

*

Nous suivons le chemin qui longe la colline en face de la maison où aucun de nos deux amis ne reviendra plus : il y a des iris jaunes dans le ruisseau trop encaissé pour être visible, quelques orchis, la voix des premiers rossignols, plus invisibles encore que les eaux ; une petite pluie soudaine qui nous oblige à hâter le pas. Toutes les choses fraîches de la vie dont ils avaient perdu le goût depuis trop longtemps. L'air aux mille portes ouvertes.

*

Après avoir rendu visite à notre ami mourant, je vois en rêve une femme vêtue de noir occupée à distribuer des cuillers d'argent qui signifient l'annonce de la mort d'un enfant ; au don de la deuxième, l'inquiétude nous prend pour le seul de nos amis proches, ici, qui en ait. Alors, nous essayons de cacher la cuiller, ou d'empêcher que quelqu'un la prenne ; comme au jeu de l'Homme noir.

*

Les yeux du mourant, jaunis, opaques, ne regardant probablement plus rien d'extérieur — et on ne saura jamais quoi au-dedans —, un instant sont redevenus extraordinairement bleus ; c'est-à-dire, peut-être pour la dernière fois, vivants. Comme un ciel qui se serait rouvert à la demande d'un oiseau. Un trop court instant.

Je me suis rappelé, plus tard, à peine plus tard, une phrase de Ramuz dans *Aline* qui m'est toujours restée en mémoire parce qu'elle est la dernière d'un chapitre lu, admirablement, par Ramuz lui-même : « *Ses yeux étaient redevenus clairs comme les lacs de la montagne quand le soleil se lève.* » Mais, pour Aline, c'est simplement qu'elle était passée de la tristesse à la joie, pour avoir revu soudain son amoureux. Dans cette chambre d'hôpital, on était aussi loin que possible de toute espèce d'aube.

*

En ce jour de deuil, Angelus Silesius, traduit par Roger Munier :

> « *L'éternité nous est si native et profonde*
> *Qu'il nous faut bien, de gré ou non, être éternels…* »

(Cependant, je vois aussi le survivant, assis sur une chaise de paille, sous l'amer et éclatant soleil, devant le trou creusé de frais, extraordinairement seul. Alors que nous avons encore sur nous l'ombre des cyprès et, pour les plus heureux, celle de l'amour.)

*

Le mal, chez cette autre vieille amie, s'est logé dans le cerveau ; elle ne peut plus parler. En rêve, je la rencontre dans une forêt où elle s'est réfugiée loin des gens, un voile sur le visage. Nous partageons un plat de quelque chose qui ressemble vaguement à des moules et dont je recueille précautionneusement la chair, à l'aide d'une cuiller, dans leurs coquilles.

La même nuit, un violent orage a nettoyé le ciel, de sorte que la lune, au milieu de son cours, et Vénus y brillent d'un éclat plus aigu.

*

Missa pro defunctis de Lassus. Je retrouve dans le texte du livret ce passage de l'ancienne liturgie qui m'avait ému lors d'un service funèbre dans la chapelle de Grignan : *Chorus Angelorum te suscipiat, et cum Lazaro quondam paupere aeternam habeas requiem.* Ce n'est pas le Lazare que le Christ a ressuscité ; rien qu'un pauvre couvert d'ulcères, mieux accueilli au Ciel que le riche sur le seuil duquel il mendiait.

Nous savons encore, et même de mieux en mieux, ce que c'est que ce Lazare ; mais le chœur des anges qu'il était si beau d'imaginer le recevoir et lui accorder le repos à jamais ?

Avec cela, c'est comme s'il n'était ni à jamais muet, ni tout à fait absent.

*

L'engoulevent, ce matin, dans le gris du matin, plus proche qu'il ne l'a jamais été de la maison ; comme si ne pouvait plus l'effrayer quelqu'un d'aussi proche des ombres.

Comment dire cela ?

On a touché à quelque chose de si froid que toute l'année en est atteinte, même au cœur de l'été.

Parler de glacier serait beaucoup trop beau. Même parler de pierre enjoliverait cela.

C'est une forme de froid qui atteint, au cœur du bel été, votre cœur.

Une main trop froide pour être encore de ce monde.

Le rire d'un enfant, comme une grappe de groseilles rouges.

Emily Dickinson, traduite par Claire Malroux :

> « *La Paix est une fiction de notre Foi —*
> *Cloches par une Nuit d'Hiver*
> *Emportant hors d'Ouïe le Voisin*
> *Qui jamais ne mit pied à terre.* »

Et :

> « *L'Aurore est l'effort*
> *De la Face Céleste*
> *Pour à Nos yeux feindre*
> *L'Ignorance du Parfait.* »

*

Claudel, dans *Connaissance de l'Est* : « *Et je découvre dans un creux la source. Comme le grain hors du furieux blutoir, l'eau de dessous la terre éclate à saut et à bouillons. La corruption absorbe ; ce qui est pur seul, l'original et l'immédiat jaillit.* »

Hölderlin, un siècle plus tôt, dans *Le Rhin* : « *Ce qui sourd pur est énigme.* »

*

La lumière des fins d'été, laiteuse, laineuse, apaisante.

Ainsi quelqu'un qui reviendrait fidèlement, alors qu'on n'osait plus compter sur lui, fêter une même fête ou calmer de vieux tourments, sans bruit, sans faire étalage de son amitié ; ou éloigner encore un peu le froid.

*

C'est comme si, pendant plusieurs mois, on n'avait presque pas vécu ; rien senti, rien vu, rien lu, ou presque rien. Rien pu lire, à cause de cette main froide touchée probablement en vain.

Presque seule, une voix inconnue, venue de Corée du Sud, celle de Cho Chong-Kwon, traduit par Claude Mouchard, m'a rejoint, saluant, dans *La Tombe du sommet*, un froid de signe opposé :

« Je vois en gravissant la montagne de l'hiver
que, dans le lieu du froid, le plus noble
brille comme de la glace
et comme le silence résolu de la chute gelée
[…]
Dans ce début du matin où fond toute la neige de la nuit passée,
le sommet
enveloppé de glace éternelle
vénère la lumière. »

Paroles, à peine paroles
(murmurées par la nuit)
non pas gravées dans de la pierre
mais tracées sur des stèles d'air
comme par d'invisibles oiseaux,

paroles non pas pour les morts
(qui l'oserait encore désormais ?)
mais pour le monde et de ce monde.

Pourquoi faudrait-il tournoyer à l'imitation des derviches,
s'il suffit de marcher sur les chemins d'ici, tant qu'on le peut,
précédés par les signaux brefs, rouge ou bleu, des sauterelles,
comme ces princes d'autrefois par leurs porte-bannière ?

*

Paroles tenant à la terre par leur tige invisible.

*

Saint Jean de la Croix :
« *Leones, ciervos, gamos saltadores…* »

Quelquefois pourtant, on n'aura même pas eu besoin de ces bêtes sacrées, pas besoin de légendes,

pour que des mots bondissent ainsi de colline en colline, à travers buissons et ravins, comme des traits de lumière dans la lumière, sans que le poids d'une seule pensée, l'ombre d'une seule appréhension les entravent.

Un instant sans durée, un jour peut-être hors des jours, une seule nuit « plus aimable que l'aube ».

*

Cette sorte de sourire que sont parfois aussi les fleurs, au milieu des herbes graves.

*

Et cette sorte aussi de fleur ouverte, grand ouverte, à partir du cœur, que peut être un enfant, sous le même ciel dont le bleu nous déchire.

*

« *Fu dove il ponte di legno*
mette a Porto Corsini sul mare alto

e rari uomini, quasi immoti, affondano
o salpano le reti... »

C'est le début d'un poème de Montale qui porte un nom de femme, *Dora Markus.* Pourquoi me revient-il si souvent en mémoire, comme s'il m'apportait à chaque fois un réconfort ?

Qui a été Dora Markus ? Je n'ai pas besoin de le savoir. Il me semble que, sans même avoir besoin de lire la suite du poème — si léger que soit ce comportement —, son titre à lui seul fait se lever derrière ses premiers mots, comme du fond d'un rêve indistinct, une figure d'étrangère, peut-être d'exilée, insaisissable ou encore seulement insaisie, qui en fait résonner plus profondément les échos.

Une scène passée, on ne sait exactement laquelle, mais liée à un lieu précis — que je ne connais pas, que je n'ai pas besoin non plus de connaître —, en Italie, au bord d'un lac ou d'une mer ; et c'est pour moi comme si... comme si quoi ? Comme si ce quelque chose qui s'est passé là, dans ce lieu où je n'irai jamais, lié à cette inconnue sans doute morte depuis longtemps, était aussi dense qu'aucun moment d'aucune vie, dense et ouvert, infiniment réel et pourtant perméable à l'irréel, comme le regard qui erre à la surface des eaux, tout en voyant encore ce pont de bois, ce port, ces pêcheurs, aimanté par l'ombre étrangère, vers « l'autre rive », finit par se perdre avec bonheur dans l'illimité.

*

Visite au survivant, à l'hôpital, après qu'il a passé une nuit entière dans la forêt — à moins qu'on ne l'ait enlevé et qu'on ait voulu faire croire à une fugue (nul ne le saura jamais). Comme quelqu'un lui lit, parce que sa vue a trop baissé pour qu'il le fasse lui-même, une lettre d'un neveu anglais évoquant la mort de son ami, il fait répéter, épeler au lecteur le mot « died ». Comme s'il voulait s'assurer une bonne fois que cette mort est réelle — quand en effet son esprit, de plus en plus souvent divagant, dans d'autres forêts et dans d'autres nuits, l'oublie ou refuse de l'accepter.

*

J'assiste avec une sorte de bonheur à l'envol rapide des feuilles détachées des branches par un vent du nord très violent qui fait scintiller celles qui restent encore aux arbres. Cela me rappelle quelque chose à propos des oracles de la Sibylle.

Au chant VI de l'*Énéide*, en effet, Virgile fait dire à Énée, venu consulter la Sibylle de Cumes : « *Seulement, ne confie pas tes vers prophétiques à des feuilles qui peuvent s'envoler en désordre, jouets des vents rapides.* »

Ainsi s'enrichit notre vision des choses de ce monde. Ces feuilles éparpillées, « jouets des vents rapides », n'avaient plus été rien que des feuilles ; elles portaient en elles, pour mon regard du moins, l'élan des essors d'oiseaux, leur apparence d'ébriété joyeuse, dans un mouvement d'aventure et de conquête bien plus que de fuite et, surtout, de chute. Ce rapprochement suffisait à expliquer cette « sorte de bonheur » que j'avais éprouvé, instinctivement, sans chercher plus loin.

Plus tard seulement, le vague souvenir des vers de Virgile viendrait charger ce bref instant d'automne d'un sens plus lourd ; au-delà du monde visible dont font partie les feuilles et les oiseaux, le regard découvrirait en quoi les paroles peuvent leur ressembler, celles de la poésie et celles qu'un dieu arrachait aux lèvres d'une femme élue par lui pour éclairer les consultants sur l'avenir ; paroles comme les feuilles nourries par une sève montant de l'obscur puis livrées au vent, paroles comme les oiseaux lancées en avant d'elles-mêmes, vers l'inconnu qu'elles prétendaient mesurer.

*

Imagine quelqu'un d'enfermé dans une pièce hermétiquement close, sans issue possible, sans aucune porte ou fenêtre à fracturer, pire qu'une geôle dans un « quartier de haute sécurité » — et qui y découvrirait soudain, invisible jusqu'alors, un fauve, ou un ennemi sans pitié, ou rien qu'une ombre agressive, avançant lentement vers lui. Ce qui est radicalement sans issue, imparable, inéluctable. Tel est le combat, radicalement inégal, de l'agonie. Tel du moins il était, puisqu'on peut désormais nous l'épargner, ou en atténuer, artificiellement, les morsures.

*

Piero Bigongiari, dans un recueil posthume :

> « *Il n'est d'autre demeure que dans l'angle*
> *de cette aube qui s'ouvre, hors de la mort…* »

Le don, inattendu, d'un arbre éclairé par le soleil bas de la fin de l'automne ; comme quand une bougie est allumée dans une chambre qui s'assombrit.

Pages, paroles cédées au vent, dorées elles aussi par la lumière du soir. Même si les a écrites une main tavelée.

Violettes au ras du sol : « ce n'était que cela », « rien de plus » ; une sorte d'aumône, mais sans condescendance, une sorte d'offrande, mais hors rituel et sans pathétique.

Je ne me suis pas agenouillé, ce jour-là, dans un geste de révérence, une attitude de prière ; simplement pour désherber. Alors, j'ai trouvé cette tache d'eau mauve, et sans même que j'en reçoive le parfum, qui d'autres fois m'avait fait franchir tant d'années. C'est comme si, un instant de ce printemps-là, j'avais été changé : empêché de mourir.

Il faut désembuer, désencombrer, par pure amitié, au mieux : par amour. Cela se peut encore, quelquefois. À défaut de rien comprendre, et de pouvoir plus.

À la lumière de novembre, à celle qui fait le moins d'ombre et qu'on franchit sans hésiter, d'un bond de l'œil.

La main tenant la rampe
et le soleil d'hiver dorant les murs

le soleil froid dorant les chambres fermées

la gratitude envers l'herbe des tombes
envers les rares gestes de bonté

et toutes les roses éparses des nuages
les braises laineuses des nuages
éparpillées avant que la nuit ne tombe

« *Comme le martin-pêcheur prend feu…* »

Apercevant parmi les saules, au bord de l'eau peu profonde, l'éclair orange et bleu de cet oiseau que, depuis des années, je n'avais pas revu, le vers de Hopkins m'a, non moins vivement, traversé l'esprit.

Choses qu'on ne peut qu'entrevoir
et qui n'ont de sens qu'évasives

orange et bleu conjugués

fruits à ne jamais cueillir

choses qu'il faut laisser aux saules, aux ruisseaux.

*

Le froid, le gris, comme du fer.

Ciel couleur de fumées basses, de cendres qui auraient tout oublié du feu qu'elles furent.

Ciel qui efface le souvenir des saisons plus heureuses. Ciel fermé, porte murée.

Tout ce qui se ternit, ne renvoyant plus la lumière.

*

Quand l'esprit s'égare, en souffre-t-il ? Seulement, sans doute, quand il sort de l'égarement pour en prendre conscience. Le vieil homme amaigri, mais encore debout, qui si souvent se croit ailleurs qu'il n'est, revit d'anciennes scènes de sa vie ou en invente de nouvelles : souffre-t-il, dans cet ailleurs ? Peut-être pas, le temps qu'il y croit. Il se déplace en lui-même moins difficilement que dans l'espace réel.

Mais je me redis une fois encore qu'il ne faudrait pas se tourmenter avant le temps, se laisser hanter par ce qui n'est pas encore, si menaçant, imminent que cela puisse être.

Écrire simplement « pour que cela chantonne ». Paroles réparatrices ; non pour frapper, mais pour protéger, réchauffer, réjouir, même brièvement.

Paroles pour redresser le dos ; à défaut d'être « ravis au ciel », comme les Justes.

Jusqu'au bout, dénouer, même avec des mains nouées.

*

À la fin d'un énième rêve d'égarement où, sortant, si je me souviens bien, d'un théâtre, je m'éloignais toujours plus des quartiers habités, je me suis vu descendre un mauvais chemin dans une sorte d'entonnoir où ne poussaient plus que de maigres buissons et de l'herbe par taches entre les pierres. Je descendais, mais j'étais si certain que jamais je n'en remonterais que l'angoisse m'a réveillé. Cette sorte de ravin avait la forme que Dante assigne à l'Enfer, mais c'était un Enfer ordinaire dont même le plus grand esprit ne pouvait espérer revenir.

*

Un peu après quatre heures de l'après-midi, la demi-lune couleur de nuage entre de vrais nuages, et au-dessous la lumière des soirs d'hiver, aussi violente que celle d'une rampe de théâtre, sur les derniers feuillages qui font alors penser à un nid, à une crèche de paille. Où l'on voudrait coucher ses pensées, gagnées lentement par le froid.

*

À un an de sa mort, âgé de quatre-vingt-deux ans, Goethe offre à son ami le musicien Zelter un beau poème anniversaire, qui se termine ainsi :

« *Là où tout se fige,*
Savoure l'image ! »

Ainsi celle, aujourd'hui que la neige s'est mise à tomber à gros flocons, épaississant le silence, du plaqueminier illuminé de tous ses fruits orange entre ses branches emmitouflées de blanc.

*

À mes pieds, ce pan de mur jaune parmi la neige, cet autre, rose : ces crépis jugés d'autres jours un peu trop neufs et suaves, on dirait en ce moment le modèle des couleurs de Morandi. Une peinture qui aurait reçu sa lumière de la neige, comme dans le poème de Leopardi dont me hantent merveilleusement ces vers :

« *In queste sale antiche,*
Al chiaror delle nevi… »

*

Empédocle d'Agrigente :

« *Iris apporte de la mer le vent*
et les pluies abondantes… »

et, dans les *Purifications* :

« *Ô mes amis qui habitez la grande ville, penchée*
au-dessus de l'Acragas au limon d'or
[…]
vous que le mal n'a point souillés, je vous salue. »

*

L'épaule qui grince comme un gond rouillé. Douleur, même insignifiante encore, qui pourrait s'aviver ; comme il en est qui annoncent que la mort a commencé de vous faire sentir sa poigne. Je ne devrais pas oser écrire que cette douleur de rien du tout m'a paru me rapprocher un tant soit peu de ce paysan tchétchène qu'un soldat russe empoignait brutalement à l'épaule pour le forcer à rentrer chez lui, ou à sortir du champ de la caméra.

*

Max Jacob, dans une de ses dernières proses :

« *J'ai vu le Seigneur sous les eaux d'une rivière. La rivière était transparente. La robe était sombre mais elle n'était ni souillée ni mouillée.* »

*

Phrase que je me souviens d'avoir dite, au cours d'un rêve teinté de mélancolie, à une jeune inconnue aux cheveux noirs : « À tout instant, dans ce monde-ci, il y a quelqu'un occupé à pleurer ; et quelquefois, par notre faute. »

*

Cette fumée qui s'élève entre les arbres éclairés par le soir, qui flotte, sans aucun poids, telle la buée de notre respiration dans le froid, passant du gris au bleu à mesure qu'elle monte : ici, dans ce monde encore en paix, elle ne signifie que des feux de feuilles — rien de funèbre, rien d'atroce.

*

« Anna Mikhaïlovna Epstein » : sa tombe submergée par la neige là où brillaient au bord du ciel, Pléiades consolatrices ou cruelles aux déportés, les bulbes dédorés du monastère de Sakhaline.

*

Et voici que le soir se referme une fois de plus, replie son aile rose et dorée pour le sommeil. Je me sens le devoir de le noter. Comme le scribe faisait les comptes de la journée du commerçant : soir inscrit au livre des soirs, mais qui n'est rien pourtant que l'on puisse amasser ou négocier. On ne consigne pas un poids, un métrage, un prix : rien qui se chiffre. Plutôt quelque chose comme le croisement de deux clairs regards, d'où s'élève ce qui semble échapper à leur caducité.

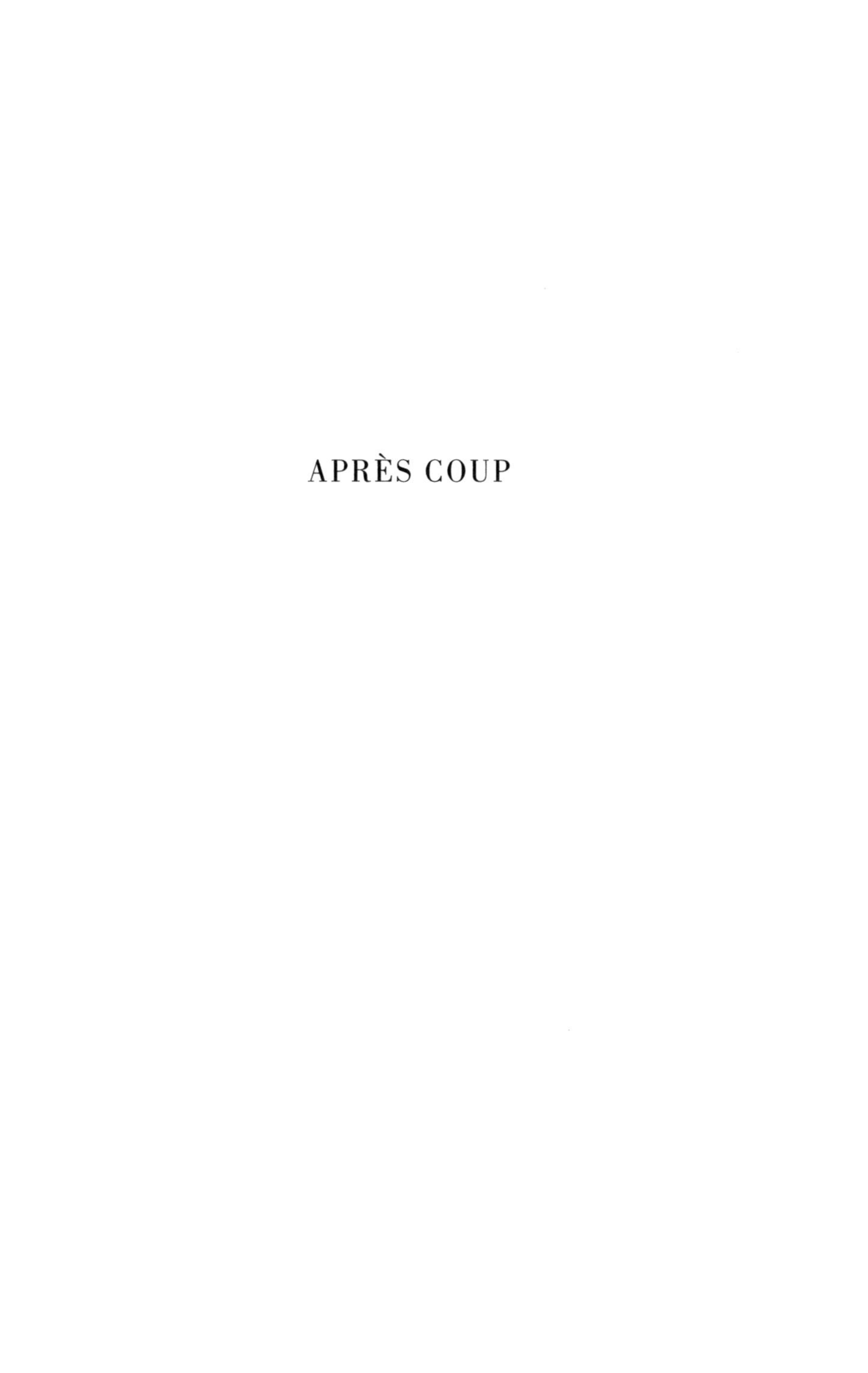

APRÈS COUP

Ainsi donc :

aucun progrès, pas le plus petit pas en avant, plutôt quelques reculs, et rien que des redites.

Pas une vraie pensée. Rien que des humeurs ; des variations d'humeur, de moins en moins cohérentes ; rien que des morceaux, des bribes de vie, des apparences de pensées, des fragments sauvés d'une débâcle ou l'aggravant. Des moments épars, des jours disjoints, des mots épars, pour avoir touché de la main une pierre plus froide que le froid.

Loin de l'aube, en effet.

Ce qu'on ne peut pas ne pas dire, tout de même, parce qu'on l'a touché du doigt. La main froide comme une pierre.

Si vite qu'écrivent les martinets, si haut qu'ils tracent leurs signes dans le ciel d'été, les morts ne peuvent plus les lire. Et moi, qui les vois encore avec une espèce de joie, ils ne m'enlèveront pas au ciel.

Au-dessous d'eux, ces ébauches d'ignare. Une brève et pure échappée, des velléités d'ascension, et la plus longue rechute dans les cailloux, la plus longue reculade.

Dans la détresse des fuyards qui est comme une neige où plus aucune trace de cœur ne serait visible, jamais. Ou comme un linge qui refuserait de plus jamais porter l'empreinte d'un visage, ni même d'une main.

(Quelqu'un écrit encore pourtant sur les nuages.)

CE PEU DE BRUITS...

Sentiment de la fin d'un monde hors duquel je ne pourrais plus respirer.

*

Rien qu'une touffe de violettes pâles,

rien qu'une très petite fille...

*

Couleurs du soir soudain comme des vitres (ou des élytres)
seulement ce soir-là en ce lieu-là

mirage silencieux

passage ouvert dans la transparente obscurité
vitrage limpide comme s'il y avait là une lamelle d'eau, une mince couche d'eau pure
sur tout le paysage, les prairies, les haies, les rochers

comme si une figure dont on ne verrait que le dos
vous invitait gracieusement à entrer
dans la nuit la plus claire jamais rêvée.

*

Deux aigrettes blanches au-dessus du Lez invisible derrière les roseaux.

*

« *Cette petite espérance qui sauterait à la corde dans les processions…* »

(Péguy)

*

Si c'était la lumière qui tenait la plume,
l'air même qui respirait dans les mots,
cela vaudrait mieux.

*

Ce que j'ai pensé cet été après avoir lu l'*Ode à un rossignol* de Keats dans la belle traduction de Bonnefoy : que le chant du rossignol était encore tellement *autre chose*.

« *Dryade d'aile claire de ces arbres* »…
Keats rêve de s'élever à la hauteur de l'ivresse de l'oiseau chanteur. Présents : la nuit d'été, ses parfums, un profond désir de mourir. « *Enfuie est la musique…* »

Oui, c'est un poème parmi les plus beaux ; mais auquel échappe tout de même la spécificité de la voix du rossignol, l'essence de sa magie. Celle que j'ai tenté de saisir une première fois dans une des *Notes du ravin*.

Chez Keats, le chant du rossignol joue sa partie dans le concert de la nuit d'été ; mais il est plus encore la projection hors de soi, ou le réveil au-dedans de soi, d'une grande mélancolie. Un siècle plus tard, Rilke approchera de beaucoup plus près son énigme : dans la *Huitième élégie de Duino*, mais aussi dans une lettre à Lou Salomé du 20 février 1914 : « *De là la situation fascinante de l'oiseau sur ce chemin vers le dedans ; son nid est presque un corps maternel extérieur, à lui consenti par la nature, et qu'il se borne à aménager et à couvrir, au lieu d'y être entièrement contenu. Aussi a-t-il, de tous les animaux, le rapport affectif le plus confiant avec le monde extérieur, comme s'il se savait lié à lui par le plus intime secret. C'est pourquoi il chante au sein du monde comme s'il chantait au-dedans de lui-même, c'est pourquoi nous accueillons si aisément en nous son chant, il nous semble le traduire dans notre sensibilité sans aucune perte, il peut même transformer pour nous, un instant, le monde tout entier en espace intérieur, parce que nous sentons que l'oiseau ne distingue pas entre son cœur et celui du monde.* »

Une voix qui ne s'adresse pas à nous, qui nous ignore, et c'est pourquoi elle paraît si pure, montant comme une flamme liquide, une fusée liquide — un jet d'eau.

S'élevant en spirales comme certaines merveilleuses phrases musicales, en vrille ; dans le velours de la nuit d'été.

Cela ruisselle vers le haut.

Pas de mélancolie, pas de plainte dans ce chant-là : comme il nous semble y en avoir dans le cri du chat-huant ou le gémissement des ramiers.

Pas de nervosité non plus comme, toujours en apparence bien sûr, dans les cris des hirondelles, ou même le pépiement de certains passereaux.

C'est lié à la nuit, bien qu'ils chantent beaucoup le jour ; au son même du mot « nuit » ; et cela monte de l'abri des arbres, des fourrés, comme la voix même des arbres.

Comme de l'eau : cela rafraîchit donc, cela désaltère l'ouïe.

Cela *s'essaie*, aussi ; ne fuse pas du premier coup, mais prend son élan. On oublie, à force de ne jamais le voir, que c'est un oiseau qui parle ainsi.

Cela éclaire la nuit comme une tendre fusée ; et s'allie tout naturellement à la lune : monte tout naturellement vers elle.

Cela pourrait être encore comme un collier de perles pour l'ouïe.

*

Le plateau de Clansayes, avec ses chemins romains (gallo-romains ?) creusant leurs ornières dans la pierre, les chênes verts, les lichens gris, comme un autre lieu sacré — où pointe soudain une unique fleur rose.

*

Le reflet des lampes sur la vitre. Poèmes, comme un reflet qui ne s'éteindrait pas fatalement avec nous.

Rêve. La scène est dans l'appartement lausannois de mon adolescence. Entendant sonner à la porte, je vais ouvrir ; pour apercevoir aussitôt, à contre-jour dans la pénombre du corridor extérieur, trois hommes vêtus de noir, coiffés de grands chapeaux comme on en voit aux médecins de Molière ; l'un d'eux portant même peut-être un collet et un jabot blancs tranchant sur tout ce noir ; ils demandent mon père. À part moi, je me réjouis de pouvoir répondre qu'il n'est pas là — ce qui ne signifie nullement, dans mon esprit, qu'il soit mort. C'est qu'il émane d'eux une sorte de menace. À l'intérieur même du rêve, je pense au trio des masques de *Don Giovanni*, à une apparition confusément funèbre.

(Plus tard, je les reverrai marchant sur un chemin ensoleillé, en contrebas.)

Mais les voici revenus dans la cour de la maison familiale ; cette fois, la menace que j'appréhendais, sans du tout s'élucider, se précise ; de la petite fenêtre des toilettes, l'une des deux seules de l'appartement qui donne sur cette cour grise, au sol couvert de gravier, fermée par un grand portail de fer, je leur crie de partir ; mais ma voix est trop faible, enrouée ; et c'est sa faiblesse, son inefficacité qui, aggravant mon angoisse, me réveille. Il semble qu'au même moment, j'aie réellement poussé un vague cri.

*

Sillans-la-Cascade : une vaste combe herbue, d'abruptes parois de safre et ces deux cascades jumelles dont chacune tombe à son rythme dans des terres presque rouges. Comme une enclave, loin de tout ; dont rien encore ne trahit le secret.

*

Quelque chose à quoi je ne suis pas revenu dans *Truinas*, parce que les propos étaient restés trop flous : Anne de Staël m'a rapporté — le jour de l'enterrement — qu'André n'avait pas eu un instant de peur ; qu'il lui avait dit : « La mort, c'est un moment, une heure, une minute ; mais, curieusement, je n'arrive pas à trouver la seconde » ; et que ses derniers mots à Marie auraient été : « Demande à ta tante ce qu'il advient de la fille du Roi-pêcheur après sa mort, dans le conte » ; et Anne de m'expliquer que le Roi-pêcheur remonte alors du fond des eaux pour atteindre une espèce d'éternité, plus haut. Il faudrait retrouver ce conte, sans doute lu par André dans son enfance.

*

« Il y eut de tout temps une réalité secrète dans l'univers, plus précieuse et plus profonde, plus riche en sagesse et en joie que tout ce qui a fait du bruit dans l'histoire. [...] *Pareils à la jubilation du printemps, les poèmes ne sont nullement une histoire de la terre ; ils sont un souvenir de ceux qui se réveillèrent en esprit des rêves qui les avaient amenés ici-bas* [...] *Car toute œuvre poétique ramène au sein de la communauté éternelle le monde qui, en devenant terrestre, s'est exilé. »*

(Achim von Arnim)

*

Rêve. D'abord, un terrain vague où est creusée une grande fosse dans laquelle il me faut rallumer d'urgence le feu qui s'est éteint, donc chercher du bois pour l'alimenter. (Mais cela se passe « en même temps », paradoxalement, chez nos amis R., avec peut-être au fond de moi le remords de ne pas m'être assez soucié d'eux. Preuve en est, bien que ce terrain vague n'ait vraiment rien à voir avec leur jardin au bord du lac, qu'en cherchant des planches à brûler, je découvre aussi des débris de marbre, même d'assez élégants fûts de colonnes, ou des cylindres qui pourraient y faire penser — M. R. était marbrier.)

Plus tard, je nous retrouve à plusieurs dans un grand salon ; je dois constamment soutenir Mme R. sous les bras pour qu'elle ne s'effondre pas, sous le regard anxieux de son mari. Entre une servante de la maison, sans heurter à la porte, accompagnée d'un gros chien qu'elle agace, alors que nous savons qu'il peut être agressif et qu'il l'a mordue tout récemment. Mme R. elle-même, du fait de sa maladie, se montre agressive envers ses domestiques — il y en a plusieurs ; envers moi aussi, quand elle me voit autour du cou un foulard semblable à celui qu'elle porte dans ses cheveux, me reprochant de vouloir jouer à Byron.

Plus tard, longeant seul le quai devant leur maison, j'aperçois mes amis, au-delà du mur du jardin — plus haut dans le rêve que dans la réalité —, allongés tous les deux face au lac dans un grand lit ; à ce moment précis, je comprends que Mme R. n'est plus en vie.

Plus tard encore, alors que maintenant c'est son mari qu'il faudrait soutenir — et nous sommes de nouveau dans une pièce assez vaste —, un groupe d'hommes d'âge moyen, fringués comme de gros actionnaires dont ils ont aussi et l'allure et la mine, apportent l'un après l'autre à M. R. quelque chose que je distingue mal, peut-être une espèce de fiche qui serait l'annonce, ou le constat de décès, de sa femme. Laquelle, soudain présente et vivante à nouveau, disparaît en s'élevant vers le plafond, ou le ciel, comme une fumée, dans une bizarre et sinistre ascension.

*

Bernard Simeone : les *Barricades mystérieuses* qu'il aimait tant écouter au clavecin ne l'auront pas protégé.

*

Nuit. Au-dessous des arbres, redécouvrant le ciel : comme une floraison, comme un pré.

Promenade à Paulhiet dans une lumière de février extraordinairement transparente. Les grands châtaigniers, dont beaucoup sont à moitié morts, les combes couleur de paille, la silhouette de la Lance dans l'ombre, Miélandre et le mont Angèle en pleine lumière, quelques promeneurs, un paysan sur sa machine, l'impression d'être suspendus — les jardins suspendus de Sémiramis, mais sans le moindre faste, au contraire : un dénuement sans aridité, une douceur sans suavité ni mollesse, une terre presque aérienne — et ce n'est pas cela —, imprégnée par la lumière, si fine qu'elle semble pénétrer toutes choses. Pas la moindre fleur encore, pas de feuilles et, ici, pas même les premiers verts des champs. La terre où l'on aurait posé des nattes de paille ici ou là comme la nappe ou le drap jaune aux Bouffes-du-Nord pour le décor de *Hamlet* réinventé par Peter Brook.

*

Promenade de la route de Salles à la Berre, par temps très doux et ensoleillé. Sur une partie du chemin qui longe la Berre, en contrebas de Pradier : une sente sauvage, de nombreux arbres abattus, des branches cassées, de couleur claire, en vrac, une impression de lieux abandonnés, non frayés, où abondent violettes et primevères, avec cette singulière couleur qu'ont celles-ci, jaune pâle tirant sur le vert, comme si elles cherchaient à ne pas trop se distinguer des feuilles, n'en étaient qu'une variation ; un jaune rustique et doux ; comme souvent, difficile à saisir, ce qui veut dire aussi, émouvant... *Couleur qui n'est pas du tout de la lumière.* (Liée sans doute à des souvenirs d'enfance...) Une impression de « gentillesse » (?), à condition de dépouiller ce mot de toute fadeur. Avec cela, comme toujours, la certitude qu'il ne faut pas aller chercher trop loin.

*

Relisant Yeats : la première des *Histoires de Hanrahan le Roux*, un très beau conte, avec une partie de cartes qui fait penser à l'*Histoire du soldat*, d'où suit l'égarement du héros. Comment on le retrouve un an après, toujours l'encrier au cou et son petit Virgile dans la poche ; mais quand il l'ouvre, il constate qu'il ne sait plus lire — et il a perdu celle qu'il aimait.

*

MONSIEUR COGITO ET LA MUSIQUE POP

« ... *l'ennui c'est que*
le cri se dérobe à la forme
qu'il est plus pauvre que la voix
qui s'élève
et tombe

le cri touche au silence
mais par enrouement
et non par volonté
de décrire le silence

il est aussi terne que tapageur
car impuissant à s'articuler... »

(Zbigniew Herbert)

Parmi les rencontres merveilleuses que l'on peut faire dans les terres des livres : Jan Skácel a écrit un poème (« Voyageurs dans la nuit ») à partir d'un des haïkus qui m'ont le plus touché, celui des voyageurs « demandant si la nuit est froide / avec des voix endormies » ; et un autre (« Les Anges ») a pour point de départ la phrase célèbre de Rilke expliquant au Dr von Gebsattel son refus de toute cure psychanalytique : « *Il me semble hors de doute que, si l'on me chassait mes démons, mes anges aussi auraient un peu, disons un tout petit peu, peur.* »

*

C'est mon vieux jeune ami Hervé Ferrage qui m'a fait lire *Le Détour et l'accès* du sinologue François Jullien, parce qu'il y avait vu de grandes affinités entre l'approche du monde par la pensée et la poésie chinoise telle qu'elle y est analysée, et ma propre pratique de la poésie. Rencontres surprenantes, en effet, compte tenu de ma médiocre intelligence des choses de la Chine — si éclairantes qu'aient toujours été pour moi dans ce domaine, par ailleurs, les pages de mon cousin Jean-François Billeter[1]. Rencontres qui flattent toujours — bien sûr ! —, mais qui surtout vous fortifient, le temps qu'on y croit.

L'essentiel étant, sur ce point précis, qu'il y aurait dans la pensée — et aussi bien la pratique — chinoise une capacité de dépasser la distinction, voire le conflit entre le sujet et l'objet ; attitude, démarche qui ouvriraient ainsi l'accès à un espace proche du « *Weltinnenraum* » rilkéen ; mais d'une façon qui m'a semblé plus simple, plus modeste et plus naturelle. Le rayonnement d'un « au-delà » dans l'« en-deçà », d'un illimité à l'intérieur de limites devenues poreuses grâce à une sorte de distraction, et à travers divers détours. (Dhôtel lui-même ne serait pas si loin de cela.)

Lisant aujourd'hui *La grande image n'a pas de forme*, essai que le même auteur consacre à la peinture chinoise et, plus particulièrement, à ses théorisations successives, je retrouve certes ces mêmes analogies. Mais avec deux réserves : la première, qu'il pourrait y avoir là aussi pour finir trop de systémisation, trop de « concepts » : ainsi, lorsqu'on enjoint au peintre peignant un arbre, s'il a tracé une branche courbe, de lui opposer aussitôt une droite (je simplifie, et pourtant…), cela, au point que le « souffle-énergie » qui devrait être l'essentiel risque de se figer. Deuxième

1. Lequel d'ailleurs, récemment (j'ajoute cela en 2007), fort de son grand savoir de sinologue et ne manquant jamais d'assurance, est parti bravement en guerre contre le même François Jullien — mais ce n'est pas ce qui importe ici, quand bien même mon rapprochement devrait se révéler mal fondé.

réserve : il se trouve que, pour n'en avoir vu le plus souvent que des reproductions, mais tout de même, je ne suis pas toujours convaincu par tous ces paysages ; ou que, si j'en admire l'un ou l'autre, ce ne sera pas plus, et plutôt moins, que tant de peintures de notre Occident — y compris celles de la Renaissance — fondées sur des conceptions et des approches du réel tout opposées. Soit que je me trouve trop imprégné moi-même de notre pensée d'ici, soit qu'il se passe quelque chose, dans ces œuvres, qui les fasse s'élever très haut au-dessus de toute théorie préalable. Le mystère de Vermeer, celui de Piero della Francesca, de combien d'autres, n'est-il pas plus mystérieux que celui de ces paysages d'eau et de brumes ?

Comme si le « mystère », la « poésie », le « souffle » s'accommodaient mieux d'une peinture insoucieuse de ces notions, soumise à des règles plus modestes, que d'un art trop obnubilé par elles. Comme si la grande respiration du monde était plus présente dans l'*Orion aveugle* de Poussin que dans bien des œuvres « orientales », ou quelquefois aussi dites « abstraites », qui voudraient n'avoir saisi qu'elle et surtout pas une « histoire », une fable ou un mythe.

*

Rêve. Où je vais au-devant de passants dont beaucoup ont une allure louche, comme s'ils n'attendaient que de vous agresser d'une manière ou d'une autre. Je me rappelle surtout qu'à la fin du cauchemar, deux très petits enfants, ou des nains, le visage masqué, s'élançaient vers moi et que l'un d'eux me mordait sauvagement la main ; sur quoi je lui demandais, plein d'une stupeur attristée, pourquoi il avait fait cela, quel plaisir il avait pu y prendre. Au réveil, je me suis dit qu'aux douleurs qui vous assaillent quelquefois avec l'âge, on ne peut pas poser pareilles questions.

*

À propos d'impressions profondes, des plus profondes qu'aient pu vous faire un spectacle, une rencontre, un événement : la fin du *Mahabharata* mis en scène par Peter Brook à la carrière de Boulbon, en je ne sais plus quelle année : les lumignons qui flottent sur l'eau, la beauté des femmes accroupies au bord et la musique qui s'élève comme pour dire une paix souveraine enfin conquise après la violence des combats — eux-mêmes admirablement transfigurés.

Sur quoi me revient à l'esprit le petit poème, si beau, de Goethe (dont Musil se sert dans un essai pour montrer l'importance de la place des mots dans les vers) : « *St. Nepomuks Vorabend* », daté de Carlsbad, 15 mai 1820 :

> « *Lichtlein schwimmen auf dem Strome,*
> *Kinder singen auf der Brücken...* »

La première impression en est notée par Goethe dans son Journal aux dates du 15 et du 19 mai : « *Soir* [...] *Lumignons flottants en l'honneur de saint Népomucène, le saint illuminé. Chant sur le pont.* » (Suit cette explication de l'éditeur : « *En l'honneur de saint Népomucène, mort noyé dans la Moldau en 1393 après une querelle avec le roi Wenzl IV, l'usage était de confier au courant du fleuve des bateaux de papier portant des bougies allumées.* » Il ajoute que la légende raconte que le saint aurait refusé au roi de trahir le secret de la confession pour ne pas être contraint de lui révéler les péchés de la reine.)

Dans l'un et dans l'autre cas, c'est le beau mariage de l'eau et du feu et, pour élever tout cela vers le plus haut ciel, la musique, le chant, les cloches. S'y ajoute, chez Goethe, le lien entre les lumignons et les étoiles — la fête célébrant l'ascension d'une âme très pure.

Formes de la suprême paix rêvée.

*

Chateaubriand. Relu les *Mémoires d'outre-tombe*. Le chapitre 7 du 31e livre, qui évoque la fête donnée par l'ambassadeur dans les jardins de la villa Médicis en l'honneur de la grande-duchesse Hélène, est admirable de bout en bout ; et je ne puis le relire sans penser au climat du *Père humilié* de Claudel, sans croire que le premier ambassadeur ait influencé le second : « *J'ai bien de la peine à me souvenir de mon automne, quand, dans mes soirées, je vois passer devant moi ces femmes du printemps qui s'enfoncent parmi les fleurs, les concerts et les lustres de mes galeries successives : on dirait des cygnes qui nagent vers des climats radieux.* »

Et plus loin, ces lignes du voyage à Prague : « *Si Prague*

était au bord de la mer, rien ne serait plus charmant ; aussi Shakespeare frappe la Bohême de sa baguette et en fait un pays maritime »... C'est dans *Le conte d'hiver*, pièce entre toutes envoûtante de la fin de sa vie ; et me voilà reconduit du coup vers l'un des plus beaux poèmes d'Ingeborg Bachmann, « La Bohême est au bord de la mer » :

« *Venez à moi, vous tous Bohémiens, navigateurs, filles des ports et navires*
jamais ancrés. Ne voulez-vous pas être Bohémiens, Illyriens, gens de Vérone,
et vous tous Vénitiens ? Jouez ces comédies qui font rire
et qui sont à pleurer »...

*

Et justement : les poèmes retrouvés d'Ingeborg Bachmann sont d'une tristesse à peine soutenable — et telle qu'en fin de compte ils n'ont pas pu devenir des poèmes. Malgré ou à cause de cela, il en est de poignants. Mais la magicienne n'avait plus qu'une baguette brisée entre les doigts.

Venue du beau temps. Le géranium « herbe à Robert » avec ses très petites et presque banales fleurs rouges portées par des tiges à la fois frêles et droites, voilà qui vous parle encore un peu tout de même. Comme si les derniers signes devaient venir du plus insignifiant.

*

Dans le récit de voyage d'Ibn Battûta en Égypte, cette belle citation à propos du Nil, du poète Nâsir ad-dîn ben Nâhid :

« *Les vents qui soufflent sur les eaux le font ressembler à une cotte de mailles*
Que la lime de David n'a pas entamée.
L'air qui y souffle est si fluide que l'homme qui s'est dépouillé de ses vêtements tremble.
Les navires qui circulent sur le fleuve sont comme des astres montants et descendants. »

(David se trouve cité là en référence à la sourate du Coran « Les Prophètes » : « *Nous avons contraint les montagnes et les oiseaux à nous célébrer avec David, oui, nous les y avons contraints. Nous lui avons appris à fabriquer des cottes de mailles qui vous protègent contre les coups. En savez-vous gré ?* »)

*

Les églantines, si brèves, si claires, presque impondérables, et pour lesquelles on donnerait tous les rosiers du monde ; cependant qu'on écoute le dernier essai de chant d'un rossignol fatigué ou désabusé, comme une fusée qui ferait long feu.

*

(Noté en hâte, le 22 novembre : « Feu de feuilles — figuier — ciel cristallin — lune — comme voix féminine haut dans l'air — fumée » ; choses qui sont passées dans *Airs* autrefois mais qui donc, par instants, me reparlent. Est-ce pure paresse, ou fatigue, que de ne plus pouvoir leur donner forme ?)

*

Noté, dans le texte des *Vêpres* de Monteverdi :

> « *Quae est ista,*
> *quae consurgens ut aurora rutilat,*
> *ut benedicam ?* »

(Bénir, précisément, c'est cela qu'il faudrait pouvoir faire encore.)

Plus loin, ces versets du Psaume 147, tels que traduits dans la Bible de Jérusalem :

> « *Il envoie son verbe sur terre,*
> *rapide court sa parole ;*
> *il dispense la neige comme laine,*
> *répand le givre comme cendre.* »

Pour le faire-part de décès de ma sœur, survenu dans la nuit du 20 au 21 janvier 2005 à Genève, j'ai suggéré, puisque les emprunts traditionnels à la Bible ne sont décidément plus de rigueur, ce haïku d'Issa :

« *Le vent d'automne*
Oh comme elle aimait
cueillir ces fleurs rouges »

qui m'a semblé convenir tant à son courage qu'à sa modestie.

*

Un des quelques poèmes de Tomas Tranströmer, généralement brefs, miraculeusement postérieurs au « coup de hache » de la maladie qui l'a frappé après notre première rencontre, en 1989, à l'occasion du prix Pétrarque :

« *Une lumière blême*
jaillit de mes habits.
Solstice d'hiver.
Des tambourins de glace cliquetante.
Je ferme les yeux.
Il y a un monde muet
il y a une fissure
où les morts passent la frontière
en cachette. »

*

Oiseaux traversant la neige qui fond avant même de se poser. Pluie que le froid change en laine éparse. Treillis devant le paysage pauvre de l'hiver.

*

Nos téléphonages d'amis à amis, désormais : un instant m'est venue l'image de naufragés qui, chacun dans sa geôle d'eau, se communiqueraient la hauteur, plus ou moins lentement décroissante, de la partie encore émergente de leur corps. Puisqu'ils peuvent se parler, c'est que la tête au moins surnage ; chacun sait que ce ne sera pas pour si longtemps.

Sans doute est-ce dans ces conditions désastreuses qu'il faut réaffirmer ce qu'on aura vu dans l'ordre de la lumière avant la catastrophe.

*

Avec le vent déchaîné d'aujourd'hui, les feuilles usées, rouillées, montent et tourbillonnent comme les braises éparpillées d'un feu ; et croisent des oiseaux que les premiers froids rapprochent déjà des maisons.

*

Un effort, in extremis, pour se rejoindre, sur le fond d'or du froid dans les feuillages : on n'y peindra plus d'icônes, mais peut-être autre chose, une autre espèce de visage, ou seulement quelques signes de vie, et même s'il s'écaille.

*

Le fusain en fleur, tout à coup, dans le froid de l'hiver, cet étrange appariage de couleurs : rose et orange, plutôt rare, la forme même de ces fleurs, comme pour une fête ou un jeu ? Et la mousse humide sur les grands rochers couchés.

*

À ma fenêtre, quelques grands bancs de nuages clairs filent vers le sud, laissant passer le soleil qui fait miroiter les dernières feuilles des arbres ; entre eux, le bleu très pâle du ciel.

*

Salut à l'or éparpillé du crépuscule d'hiver,
aux dernières feuilles qui se détachent des arbres, à leurs branches éclairées qui bougent.

Feuillages qui s'apaisent avant la nuit, portant l'espace — comme tous ces oiseaux cachés dans le grand laurier commencent enfin à se taire. Le ciel cependant s'est éclairci, a presque perdu couleur, sauf près de la terre où il est encore un peu rose ; il n'est plus du ciel, il est ce qui ne fait plus obstacle à rien, ce qui ne pèse pas, il n'est au mieux que de l'air que les derniers nuages en mouvement ne troublent même pas — tandis que la montagne lointaine devient elle aussi nuage, mais en suspens, immobile. Et qu'est-ce alors que l'étoile qui soudain scintille au couchant ? Un ornement de l'air pour une oreille, un cou, un poignet cachés ? Un signe en route vers nous autres du fond sombre du temps ? Une braise qui aurait subsisté d'un feu immémorial ? Ne l'ennuageons pas de trop de mots, fussent-ils les plus clairs qui viennent à l'esprit ! Effaçons-les plutôt sans attendre. Qu'il ne reste plus qu'une abeille précédant l'essaim de ses sœurs.

*

Le soir, neige sur la Lance, blanche, puis rose, puis grise à la cime de la montagne bleue — une fois encore. Le bel hiver, tendre et cristallin — l'éloignement du jour pour que s'allument les lampes, l'effacement du rideau, du voile qui cachait la nuit.

*

La chatte (dont il a bien fallu abréger les jours) : le silence total de ses pas, où qu'elle allât — passages d'une ombre lumineuse, pour nous en partie absente, comme prise dans un rêve tranquille, avec peu de cris et ceux-ci, les derniers temps, de plus en plus brefs et faibles. Avec, plusieurs fois par jour, des rites presque horlogers, dès le réveil ; et l'attachement, tout de même, qu'elle suscite et dont elle fait si discrètement preuve en retour : une petite âme tout de même, visiblement inquiète ou boudeuse au moment de nos rares départs. À la campagne, l'été, cet autre rite, indépendant de nous celui-ci : d'aller, au coucher du soleil, presque immanquablement s'allonger sur le même rocher, face au soleil, comme pour profiter encore de sa chaleur. Une petite âme en chaussons de fourrure, peu de chose, mais tout de même.

*

Couleurs du ciel hier soir, sous des nuages de cendre et de neige pesants comme des montagnes : du rose, du jaune et du vert ; plus exactement, du presque rose, de l'à peine jaune et de l'à peine vert, des bandes de soie superposées de la nuance la plus délicate, transparente, doucement lumineuse avant l'obscurité — des fleurs allongées côte à côte avec soin dans un cageot invisible — une muette invitation à rejoindre Flore à l'horizon.

*

La pleine lune au-dessus de la Lance enneigée : lune de la même « couleur » que la neige, de la même matière qu'elle, comme si elle en était un fragment envolé. Cela ne lave pas les taches de sang, pas mieux que ne l'ont jamais fait « tous les parfums d'Arabie ».

*

Les jours ont cessé de raccourcir. C'est quelque chose qui aide immanquablement à revivre, comme une petite cuillerée de lumière de plus ; ou, plus noblement, comme le soulèvement d'une dalle, imperceptible.

C'est aussi comme si l'on s'élevait de quelques mètres au cours de sa marche, pour voir un peu plus loin devant soi.

(Ce peu de bruits qui parviennent encore jusqu'au cœur, cœur de presque fantôme.

Ce peu de pas risqués encore vers le monde dont on dirait qu'il s'éloigne, quand c'est plutôt le cœur qui le fait, de mauvais gré.

Pas de plainte là-dessus toutefois, rien qui couvrirait les ultimes rumeurs ; pas une seule larme qui brouillerait la vue du ciel de plus en plus lointain.

Paroles mal maîtrisées, mal agencées, paroles répétitives, pour accompagner encore le voyageur comme une ombre de ruisseau.)

… MAIS QUELQUES PAGES ENCORE, LUES

Handke

Le peu de chose, le presque rien, l'insignifiant — apparu dans les rares moments de confiance comme le plus signifiant —, bien sûr... Mais aussi les moments de plus en plus nombreux où cela vacille, s'éloigne, s'efface, perd toute saveur et tout pouvoir. Et le bienfait, alors, de retrouver, dans *À ma fenêtre le matin*, ses Carnets des années 1982-1987, le meilleur de Peter Handke : ces notations si extraordinairement justes et précises de « l'observateur anhistorique » qu'il veut être, tout en ajoutant : « *Je ne sais pas observer, je sais être ouvert* » — ce qu'il définit ailleurs par « *percevoir d'instinct* ».

Ainsi, en me gendarmant pour ne pas trop citer, ces trois passages :

« *Dans la nuit mouillée de pluie, un peu partout, dans les profondeurs des herbes et sous les buissons, les points lumineux des vers luisants sont restés, signaux pour un décollage vers un monde mystérieux — "le mystère de la pérennité du monde", ai-je lu en même temps dans le* Prométhée enchaîné *d'Eschyle —, décollage vers une autre terre qui était pourtant celle-ci et nulle autre, celle de toujours, mais dans un silence magnifique, incandescent. Et j'étais assis sous le toit du puits et je tournais la tête dans ce petit univers environné du crépitement de la pluie. »*

Ceci encore :

« *Rester à ma fenêtre et ne pas en démordre, lire, lever les yeux, regarder, me souvenir, recueillir, rêver l'avenir, respirer, accueillir l'air, jusqu'à ce que la joie arrive, s'ouvre, m'effleure, me soulève, l'espace d'un instant, joie sans pensée pour mon enfant ou mon œuvre, rien qu'une participation joyeuse au maintenant, par exemple aux mouvements de pilote des feuilles du frêne là dans le vent mêlé de pluie ; prêt pour la mort. »*

Et enfin :

« *Cette certitude dans la foi au douzième siècle, allègre, alerte, n'a sans doute jamais existé auparavant et jamais ensuite, la certitude qui traversait, mouvementait et reliait le monde de ses formes homogènes : voilà ce que je pense ici devant cette niche de l'église du pays, face à ces trois rois de pierre très rapprochés, rêveurs, dormeurs, bon sourire d'aise — si grandes paupières ! —, avec leurs présents entre les doigts, et de partout les accents des moineaux et la neige fondante qui goutte sur les cailloux du cimetière. Puis dehors à l'air libre ce gigantesque bloc rocheux arrondi émergé du ruisseau où l'eau déferle continuellement, donne le son fondamental, une sorte de basse, profonde, sombre, vibrante : pincements, gargouillis d'orgue, sur cette tignasse d'eau coulée vive et claire sur la roche, des cordes de l'épopée, pour une tout autre humanité. Reste avec moi, mêlé aux piaulements des moineaux, son qui me donnera le* la *pour la suite, me guidera. Et ces cordes pincées, ces sons d'orgue sur le rocher émergé ont plus que tout sans doute quelque chose d'instruments à percussion, à cordes* frottées *aussi, font penser aux "battes de blanchisseuse", à la "Jamaïque", au jeu d'un groupe de musiciens exubérants et en même temps parfaitement recueillis dans une clairière de la forêt primitive. Adieu, pierre de conte, et accompagne-moi, tout au fond de l'oreille interne. »*

« Somme toute » — puisque c'est bien le moment de s'exprimer ainsi — : je ne vois pas beaucoup de pages sur lesquelles m'appuyer qui soient plus proches de ce que, depuis désormais tant d'années — depuis que moi aussi j'ai appris à « être ouvert » —, j'aurai éprouvé comme « presque une vérité » au plus profond de moi. Et je ne vois, à franchement parler, ni ce qui pourrait m'en détourner maintenant, ni comment aller au-delà de ce qui reste si vague, et s'il me sera jamais donné d'y parvenir.

Saigyô

Dans ce brouillard où je me perdais, moi-même réduit à l'état de piètre fantôme, un beau jour, j'ai vu de nouveau briller comme des gouttes d'eau irisées des plus belles couleurs de ce monde que je craignais d'avoir perdu, quelques poèmes du moine Saigyô, vieux de huit siècles et frais comme d'hier, en dépit de traductions qui, trop souvent, me semblaient bien peu claires. J'en avais bu de tels comme un élixir de vie après avoir publié *L'obscurité*, au début des années soixante ; plus de quarante ans plus tard, d'autres me ramenaient, d'une poussée de main très légère, à des étonnements qui, salutairement, me recentraient.

> « *Au crépuscule une barque amarrée*
> *sur les berges de la rivière*
> *au loin la Voie lactée*
> *là-bas aussi souffle*
> *un vent frais* »

(Distances liées en bouquet comme par un tendre mouvement du cœur, tranquillité nocturne qui contient en elle, non pour s'en altérer mais pour s'en enrichir, l'idée du voyage et l'éventualité de l'adieu.)

« *Flots de torrent*
dispersés et repoussés
par les rochers
comme grêle
sous cette lune d'été »

(Lisant cela, je repensais à ma prose du « Col de Larche », issue d'une rencontre analogue : l'éparpillement de l'écume, le mouvement contrarié et qui brille de l'être, la *fraîcheur* que, d'une tout autre façon, André du Bouchet a su si bien saisir.)

« *Au bout du crépuscule*
franchissant le col du mont Hihara
soudain le chant d'une tourterelle
comme venu de l'au-delà »

(Là, il me semblait que Saigyô me tendait à travers le temps un modèle, un concentré de ce qu'il m'est arrivé d'éprouver au plus profond de moi, le centre d'où tout serait parti ou vers quoi tout se serait orienté. Chose à la fois mortifiante, parce qu'elle signifie qu'on n'a rien inventé, et réconfortante ; écho dans lequel s'effacent siècles et distances, et qui semble témoigner d'une communauté inespérée.

Il y a en effet dans ces quelques vers le moment du passage du jour à la nuit, associé au passage du col ; la soudaineté du chant entendu, et l'impression qu'il vient de l'« au-delà » — j'ignore ce que cette traduction veut exactement dire : venu simplement de l'autre côté du col, ou d'un autre monde. Mais c'est exactement ce que j'aurai tant de fois ressenti et essayé de dire : un creusement de l'espace-temps jusqu'à l'infini, mais, il faut y insister, dans des circonstances banales, à l'intérieur de ce monde et d'une vie d'homme parfaitement quelconque et sans histoires.)

« *Il est difficile*
de voir le monde
à ce point exécré
pourquoi alors refusez-vous
de prêter votre logis ? »

(Ce poème-là m'a touché lui aussi tout de suite, d'une autre façon ; simplement, parce qu'il m'a rappelé le plaisir pris, encore adolescent, à lire ce nô intitulé « La Dame d'Egughi » — ou « Eguchi » — que j'ai dû mentionner déjà quelque part au coin d'une de mes pages. Je l'avais aimé alors, sans doute, pour le lien qu'il créait entre la présence de l'eau, des barques et surtout, plus secrètement, des courtisanes… Or, retrouvant aujourd'hui ce nô dans une édition meilleure, je découvre que sa source a été précisément l'anecdote de Saigyô relatée ainsi dès le début de l'œuvre : « *Combien il est difficile pourtant d'arriver à renoncer à ce monde ! Ô vous qui répugnez à m'accorder un asile d'un instant !* »)

Enfin :

> « *La cloche quand la nuit tombe*
> *dans le temple du mont*
> *aussi émouvante*
> *que la voix des enfants*
> *chantant le sûtra* »

(Voilà une autre de ces constellations légères faites de quelques éléments encore riches de résonance aujourd'hui : la venue de la nuit, le son de la cloche dans la montagne, et la voix des enfants. Je me rappelle Verlaine, la fin de *Parsifal* : « *Et, ô les voix d'enfants chantant dans la coupole* » ; ... et puis, tout près de nous — en 1946 —, ces pages du *Bavard* de Louis-René des Forêts où le narrateur, jeté à terre dans le froid glacial à la fin d'un combat humiliant, se voit un instant comme sauvé par l'écoute du chant de petits séminaristes — dont il fut l'un d'eux, et le moins docile, naguère : « *Incantation pure, secrète, en marge du monde lourd et fade que nous portons en nous, douée de la séduction particulière qu'attire tout ce qui n'a pas cette odeur corrompue du péché, et qui enchante comme la seule évocation des mots :* allégresse, printemps, soleil : *issue d'un univers sans sexe ni sang mais que ne dégradait pourtant aucune de ces tares propres à ce qui est exsangue et décharné ; opposant sa grâce aérienne à mon abattement d'animal blessé ; claire comme une nuit de gel, rafraîchissante comme une bolée d'eau de source ; idéale enfin comme tout ce qui suggère l'existence d'un monde harmonieux, sans commune mesure avec la réplique que nous en faisons et qui n'est jamais qu'un détestable simulacre. »*)

Paroles cueillies ici et là, comme autant de frêles cannes [1] plus nécessaires à mesure que le pas se fait plus « caduc », comme le dit un des derniers sonnets de Góngora.

1. Bonne occasion de citer cette autre merveille :

> « *Ce n'est plus pour des échasses*
> *mais pour une canne qu'aujourd'hui*
> *je sollicite le bambou*
> *de mes jeux d'enfant*
> *me revient le souvenir !* »

Senancour, Leopardi

Le petit livre où, dans ces mêmes difficiles années, j'ai cherché à dire ce qu'avait représenté pour moi la matinée de l'enterrement d'André du Bouchet à Truinas, le 21 avril 2001, souligne en particulier la surprise et l'émotion qui avaient été les miennes à entendre lire devant la tombe ouverte les pages mêmes d'*Oberman* dont, trente ans plus tôt, j'avais fait le foyer d'une réflexion sur les fleurs, pages auxquelles j'avais d'ailleurs emprunté le titre même de mon chapitre : « *Si les fleurs n'étaient que belles...* » ; c'est que ces lignes de Senancour m'avaient paru, et me paraissent toujours, éclairer et fortifier l'expérience la plus singulière qu'il m'eût été donné de faire depuis le jour de 1953 où nous nous étions installés à Grignan. Mais, peu après, comme, à ma relecture d'*Oberman* venait de s'ajouter la découverte des *Rêveries*, autre chose encore me surprit, de plus inattendu et d'encore plus central : l'extraordinaire proximité qu'il y a entre Senancour et Leopardi — même si l'expérience du second fut plus âpre, plus intense et plus brève, et qu'au premier aura tout de même manqué le pouvoir de la grande transfiguration poétique. L'un et l'autre, en ce début du XIXe siècle, ont parlé sur un même fond noir, au-dessous et au-dessus du même vide : « *Pourquoi la terre est-elle aussi désenchantée à mes yeux ? Je ne connais point de satiété, je trouve partout le vide* », ou encore : « ... *nous sommes vêtus de débris, nourris de débris, assis sur des débris* » ; ces lignes de Senancour, Leopardi aurait pu les avoir écrites, mot pour mot. Toutefois, cette appréhension du rien serait probablement commune à beaucoup, dans ces mêmes années. Le singulier, c'est que sur ce même fond de désespoir aient persisté à fleurir, chez l'un le genêt tenace, chez l'autre la jonquille miraculeuse.

Chez l'un comme chez l'autre, une situation de profond désespoir ou, moins extrême, de regret et de désir violents, donnent à ce qui a été vécu une fois, ou entrevu, ou ardemment rêvé, une présence unique, comme une plus grande intensité lumineuse — jusqu'à rendre ce peu de chose plus inoubliable que la mort et le néant proclamés partout ailleurs par leur pensée :

> « *là, ce balcon tourné vers les extrêmes*
> *rayons du jour, et ces murs peints,*
> *ces troupeaux figurés...* »

Chez l'un comme chez l'autre, une fête qui s'achève, des chants lointains, une simple voix dans la distance... et l'on dirait que cela donne au vers ou à la phrase qui en sont l'émanation une limpidité propre à leur faire traverser n'importe quel obstacle — de doute ou de crainte. Phrases comme tracées par des elfes et, néanmoins, d'une sorte de simplicité qui ne cesse d'émouvoir :

« *Un jour, vous étiez auprès des sources de l'Isère. La clarté du matin brillait sur des rocs arides, sur les toits des chalets, sur les cailloux emportés par les eaux. Vous avez parlé à des hommes qui vivaient sans inquiétude. Vous marchiez sur l'herbe courte des hauts pâturages ; vous avez entendu la chute des neiges, le brisement des glaces et les chants du désert...* »

(Rêveries)

Ou bien, ces fragments de Leopardi empruntés aux *Souvenirs d'enfance et d'adolescence* :

« ... *gisant l'été dans le noir, les persiennes closes, avec la lune brumeuse et ennuagée, au grincement des girouettes consolé par l'horloge de la tour... vue nocturne avec la lune dans un ciel serein du haut de la maison, identique à celle d'Homère... fables et les images très vives qu'elles m'inspiraient comme ce matin-là pré ensoleillé* ».

Ou enfin :

« ... *et finalement une voix :* ah, voilà la pluie, *c'était une légère petite pluie de printemps... et tous se retirèrent, et l'on entendait le bruit des portes et des verrous* ».

Pas simplement la pluie, mais une voix parlant de la pluie : peut-être qu'en fin de compte, on pourrait se contenter de ce presque rien sur fond de rien ?

Kafka

En 2003, je l'ai beaucoup lu, ou relu. Non pas tant ses romans que ses récits, fragments de récits, pages de Journal, et nombre de ses lettres ; et avant même de commencer à en recueillir certains passages, j'ai écrit dans mon cahier de notes : « *KAFKA : un nom que j'inscris ici en capitales, comme il le mérite.* » Souvent, en effet, il m'a intimidé par ce qu'il y a d'extrême dans son expérience et dans son œuvre (ces quelques écrivains qui vous font honte d'écrire après eux) ; j'éprouve donc pour lui de la vénération, mais aussi une tendresse, tant a été frêle et vulnérable celui qui a forgé des paroles d'une force inouïe, comme on n'en trouvera guère que chez les prophètes de l'Ancien Testament ou de très anciens poètes. Certaines de ces paroles, en particulier des aphorismes, qualifiés ou non de tels, sont dures comme de la pierre ou du fer et frappent avec la même force. Quelques-unes ont la vibration de la flèche fichée droit dans sa cible, comme il arrive à ces vers de *L'Iliade* montrant en très peu de mots des morts de combattants.

Paroles comme des armes, ou simplement des outils dont l'essence serait dureté et pureté absolues :

« *J'ai un marteau puissant, mais je ne peux pas m'en servir, car son manche est chauffé à blanc.* »

Paroles, bien que frêles et légères comme toute parole l'a été, l'est et le sera toujours nécessairement, qui me semblent de l'ordre de la montagne, du monument de granit.

Cela, chaque lecteur de Kafka s'en est rendu compte et on l'a très légitimement beaucoup dit, beaucoup commenté. Loin de moi toute tentation, toute capacité d'ailleurs, d'entrer dans ces labyrinthes ! Mais ce qui m'a frappé davantage, au cours de ces lectures ou relectures, ce sont les rares échappées lumineuses que l'on pourrait opposer, par exemple, à tel admirable passage d'une lettre à Milena : « *J'ai été envoyé comme la colombe de la Bible, je n'ai rien trouvé de vert, je rentre dans l'Arche obscure...* »

« *Je n'ai rien trouvé de vert* », mais ce fragment :

« *... on crie vive quelqu'un, les jeunes gens, au milieu d'eux le ruisseau clapote, un vieil homme regarde, comme cela vit et sent bon ; mais pour sentir cela, aie la divine, la céleste jeunesse, mouche sublime qui voltige autour de la lampe, oui mon petit, mon minuscule convive à tête de sauterelle enlevé sur la chaise où tu t'accroupis.* »

Ou cet autre :

« *Abondance fraîche. Eau qui jaillit. Crue qui s'étend, haute, impérieuse, paisible. Bienheureuse oasis. Le matin après une nuit d'orgies. Cœur à cœur avec le ciel. Paix, réconciliation, submersion.* »

Et cette pensée du 18 octobre 1921 :

« *Il est parfaitement concevable que la splendeur de la vie se tienne prête à côté de chaque être et toujours dans sa plénitude, mais qu'elle soit voilée, enfouie dans les profondeurs, invisible, lointaine. Elle est pourtant là, ni hostile, ni malveillante, ni sourde ; qu'on l'invoque par le mot juste, par son nom juste, et elle vient. C'est là l'essence de la magie, qui ne crée pas, mais invoque.* »
(On pourrait y voir aussi l'utopie du poète.)

Jusqu'à ce que l'on découvre, aux bords extrêmes d'une vie tourmentée, écartelée, à certains égards non vécue hors de la littérature, ces « feuillets de conversation » où Kafka, aphone, a noté ses toutes dernières paroles, les plus nues, les plus désarmées — paroles que Michel Deguy n'a pas intégrées par hasard dans une prose de *Jumelages*, en 1978 —, où il est question de fleurs, à cause même de leur fragilité, de soleil, d'eau courante, d'air et de matin ; où il y a encore tant de sollicitude pour autrui (les débris de verre qui pourraient blesser la servante, si elle vient pieds nus — la même sollicitude pour son infirmière que celle que j'avais trouvée chez Gustave Roud lui aussi près de sa fin) :

« J'aimerais m'occuper surtout des pivoines, parce qu'elles sont si fragiles.
Et les lilas au soleil. »

« Ne pourrait-on se baigner dans le ruisseau, et puis un bain d'air ? »

« Regardez le lilas, plus frais que le matin.
Il faut mettre la bonne au courant du verre, elle vient parfois pieds nus. »

« Le lilas, c'est merveilleux, n'est-ce pas — il boit en mourant, il se saoule encore.
Ça n'existe pas, qu'un mourant boive. »

« Mets-moi un instant la main sur le front pour me donner du courage. »

Et même si « le secours repart sans avoir secouru », comme il est noté dans les mêmes feuillets, rien ne peut faire qu'il n'y ait eu, tout au bout du chemin, ce battement de l'air, cette fraîcheur de l'eau courante, ce fil brillant de l'eau courante qui irrigue la page même aux pires moments.

Ce bruit de l'eau qui vient encore jusqu'à vous.

Ce peu de bruits, dans le silence croissant, mais presque les mêmes chez Senancour, chez Leopardi, chez Kafka — courant dans le même sens comme vers une porte grand ouverte : une voix d'autant plus pure que lointaine et peut-être à jamais perdue, une prairie brillant sous un soleil qu'on ne reverra plus jamais le même.

Dans le temps que toute une foison d'étoiles s'efface lentement de bas en haut du ciel,

à la cheville nue dans les herbes de l'été

juste ce fil de rosée que le soleil viril en montant vient dénouer.

Note

Notes du ravin a paru en édition originale chez Fata Morgana, à Montpellier, en 2001.

Quelques pages de la partie intitulée ici *Ce peu de bruits* ont paru, en édition originale à tirage limité, sous le titre *Très peu de bruits*, avec des gravures de Gérard de Palézieux, à l'enseigne de Conférence, à Meaux, en novembre 2007.

DU MÊME AUTEUR

Aux Éditions Gallimard

L'EFFRAIE ET AUTRES POÉSIES.

L'IGNORANT, poèmes 1952-1956.

ÉLÉMENTS D'UN SONGE, proses.

L'OBSCURITÉ, récit.

AIRS, poèmes 1961-1964.

L'ENTRETIEN DES MUSES, chroniques de poésie.

PAYSAGES AVEC FIGURES ABSENTES, proses.

POÉSIE 1946-1967, choix. Préface de Jean Starobinski.

À LA LUMIÈRE D'HIVER, *précédé de* LEÇONS *et de* CHANTS D'EN BAS, poèmes.

PENSÉES SOUS LES NUAGES, poèmes.

LA SEMAISON, carnets 1954-1979.

À TRAVERS UN VERGER *suivi de* LES CORMORANS *et de* BEAUREGARD, proses.

UNE TRANSACTION SECRÈTE, lectures de poésie.

CAHIER DE VERDURE, proses et poèmes.

APRÈS BEAUCOUP D'ANNÉES, proses et poèmes.

ÉCRITS POUR PAPIER JOURNAL, chroniques 1951-1970.

À LA LUMIÈRE D'HIVER *suivi de* PENSÉES SOUS LES NUAGES, poèmes.

LA SECONDE SEMAISON, carnets 1980-1994.

D'UNE LYRE À CINQ CORDES, traductions 1946-1995.

OBSERVATIONS ET AUTRES NOTES ANCIENNES (1947-1962).

CARNETS 1995-1998 (La Semaison, III).

ET, NÉANMOINS, proses et poèmes.

CORRESPONDANCE AVEC GUSTAVE ROUD 1942-1976. Édition établie, annotée et présentée par José-Flore Tappy (« Les Cahiers de la *nrf* »).

CE PEU DE BRUITS, proses.

Chez d'autres éditeurs

LA PROMENADE SOUS LES ARBRES, proses *(Bibliothèque des Arts).*

GUSTAVE ROUD *(Éditions universitaires de Fribourg).*

RILKE PAR LUI-MÊME *(Le Seuil).*

LIBRETTO *(La Dogana).*

REQUIEM, poème *(Fata Morgana).*

CRISTAL ET FUMÉE, notes de voyage *(Fata Morgana).*

TOUT N'EST PAS DIT, billets 1956-1964 *(Le Temps qu'il fait).*

HAÏKU, transcription *(Fata Morgana).*

NOTES DU RAVIN *(Fata Morgana).*

LE BOL DU PÈLERIN. MORANDI *(La Dogana).*

UN CALME FEU *(Fata Morgana).*